Y0-AAS-237

Publicado por primera vez por Parragon en 2012

Parragon Books Ltd
Queen Street House
4 Queen Street
Bath BA1 1HE, UK

Traducción: Almudena Sasiain para Equipo de Edición
Edición y maquetación: Equipo de Edición, S. L., Barcelona

ISBN 978-1-4454-6326-1

Impreso en China/Printed in China

La Bella Durmiente

Adaptación: Catherine Hapka
Ilustraciones: Disney Storybook Artists
at Global Art Development

Bath • New York • Singapore • Hong Kong • Cologne • Delhi
Melbourne • Amsterdam • Johannesburg • Auckland • Shenzhen

Ha nacido una Princesa

Hace mucho, mucho tiempo, en un país muy lejano, vivían un Rey y una Reina. Tuvieron una hija a la que pusieron el nombre de Aurora.

Todo el reino festejó el nacimiento de la Princesita. También el rey del país vecino y su hijo Felipe estaban invitados a la boda.

Ambos soberanos acordaron casar a sus hijos cuando la Princesa cumpliera dieciséis años.

A los festejos acudieron también las tres hadas buenas, Flora, Fauna y Primavera. Cada una de ellas tenía un presente para la Princesa recién nacida. En primer lugar, Flora agitó su varita mágica sobre la cuna del bebé y dijo: «Princesita, mi regalo será el don de la belleza». Tras ella, Fauna tomó su varita mágica y dijo: «Princesita, yo te otorgaré una voz de oro».

Pero antes de que el hada Primavera pudiera revelar el don que pensaba darle a la pequeña, sopló un fuerte viento en el salón y las puertas se abrieron. Hubo rayos y truenos, y se hizo de noche. De pronto, en medio del salón apareció una llama que poco a poco fue cobrando forma: ¡era Maléfica, el hada mala!

Maléfica estaba furiosa porque no la habían invitado a la fiesta y, para vengarse, maldijo a la Princesita.

«El día de su decimosexto cumpleaños, antes de que el sol se ponga, la Princesa se pinchará un dedo con un huso y morirá».

«¡Oh, no!», gritó la Reina. «¡Apresen a esa criatura!», ordenó el rey Estéfano, el padre de Aurora. Pero antes de que los guardias pudieran atrapar a Maléfica, el hada había desaparecido en una nube de fuego y humo.

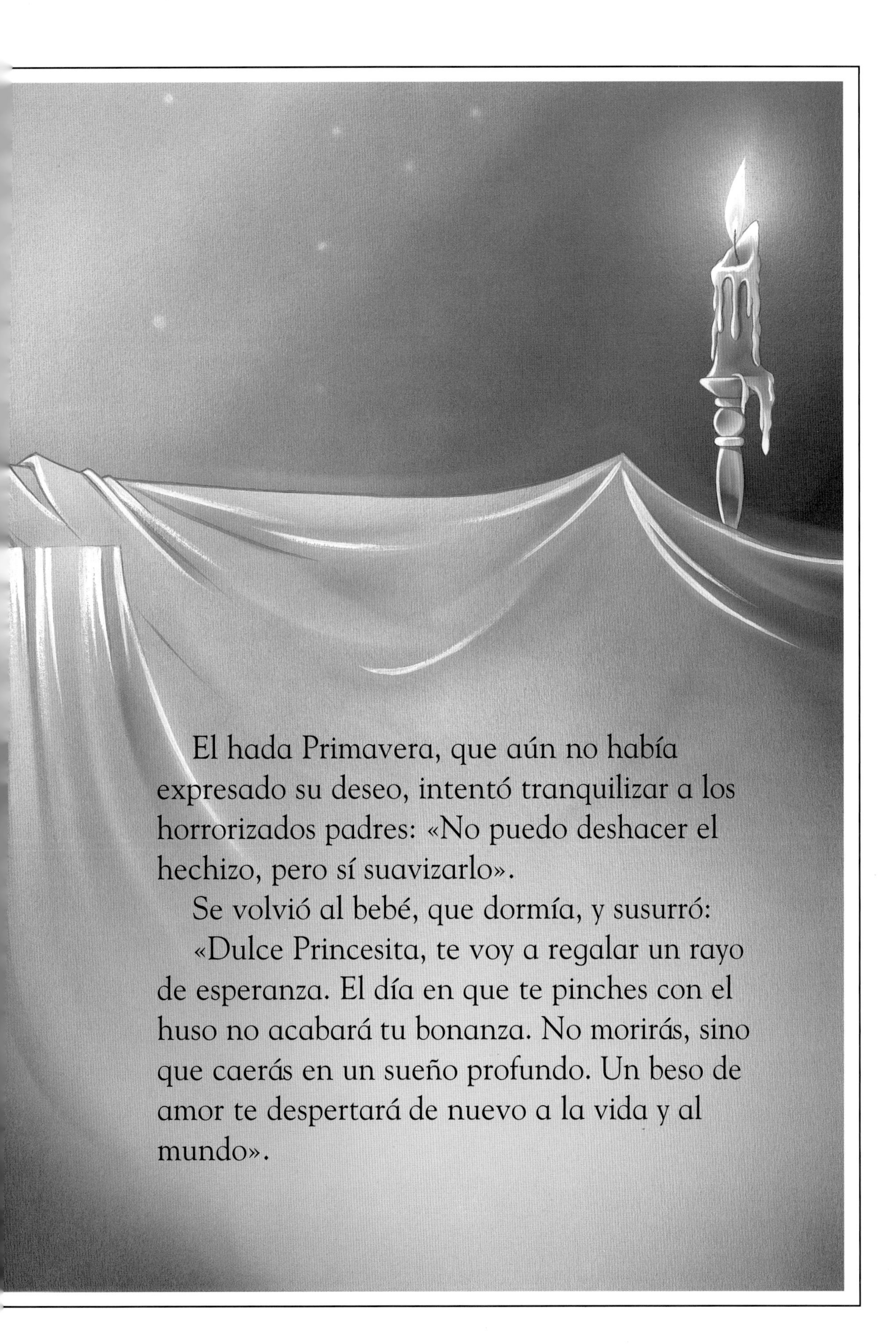

El hada Primavera, que aún no había expresado su deseo, intentó tranquilizar a los horrorizados padres: «No puedo deshacer el hechizo, pero sí suavizarlo».

Se volvió al bebé, que dormía, y susurró:

«Dulce Princesita, te voy a regalar un rayo de esperanza. El día en que te pinches con el huso no acabará tu bonanza. No morirás, sino que caerás en un sueño profundo. Un beso de amor te despertará de nuevo a la vida y al mundo».

El Rey, atemorizado, ordenó quemar todos los husos del reino. Pero Flora tenía un plan mejor. Propuso que las tres hadas buenas se disfrazaran de campesinas y criaran a Aurora en lo más espeso del bosque. Durante ese tiempo, renunciarían a usar su magia para que Maléfica no pudiera seguir su rastro. Una vez pasado el momento de la maldición, volverían a llevar a Aurora al palacio.

El Rey y la Reina hubieran hecho cualquier cosa por proteger a Aurora, así que accedieron. Solo unas noches después, las hadas se llevaron a la niña a lo más profundo del bosque.

Aurora

Pasaron los años y Maléfica empezó a ponerse nerviosa. Se acercaba el decimosexto cumpleaños de Aurora y sus sirvientes aún no la habían encontrado. «¡Dieciséis años y ni rastro de ella! —chilló Maléfica—. ¿Han buscado en todas partes?».

Maléfica envió en busca de la muchacha a su siervo más fiel, el cuervo. Era su última esperanza. Le ordenó que no parase hasta encontrar a una muchacha de dieciséis años con un precioso pelo dorado y labios rojos como rosas.

Mientras tanto, Aurora se había convertido en una bellísima joven. Las hadas la querían como a una hija. El día de su decimosexto cumpleaños la enviaron al bosque a recolectar bayas y a jugar con los animales. Las hadas querían preparar la fiesta de cumpleaños con tranquilidad, sin tener que recurrir a la magia.

Aurora se encontró en un claro con sus amigos, los pájaros y otros animales del bosque, y con ellos se puso a cantar la canción del Príncipe de sus sueños.

No lejos de allí, el joven Príncipe oyó el bello canto de Aurora y pidió a su corcel Sansón que lo condujera hasta la muchacha.

Sansón salió al galope, pero al saltar sobre las raíces de un árbol el Príncipe resbaló de la silla y cayó a un arroyo. «¡No te voy a dar más zanahorias!», le gritó. Salió del agua y puso a secar la capa, el sombrero y las botas.

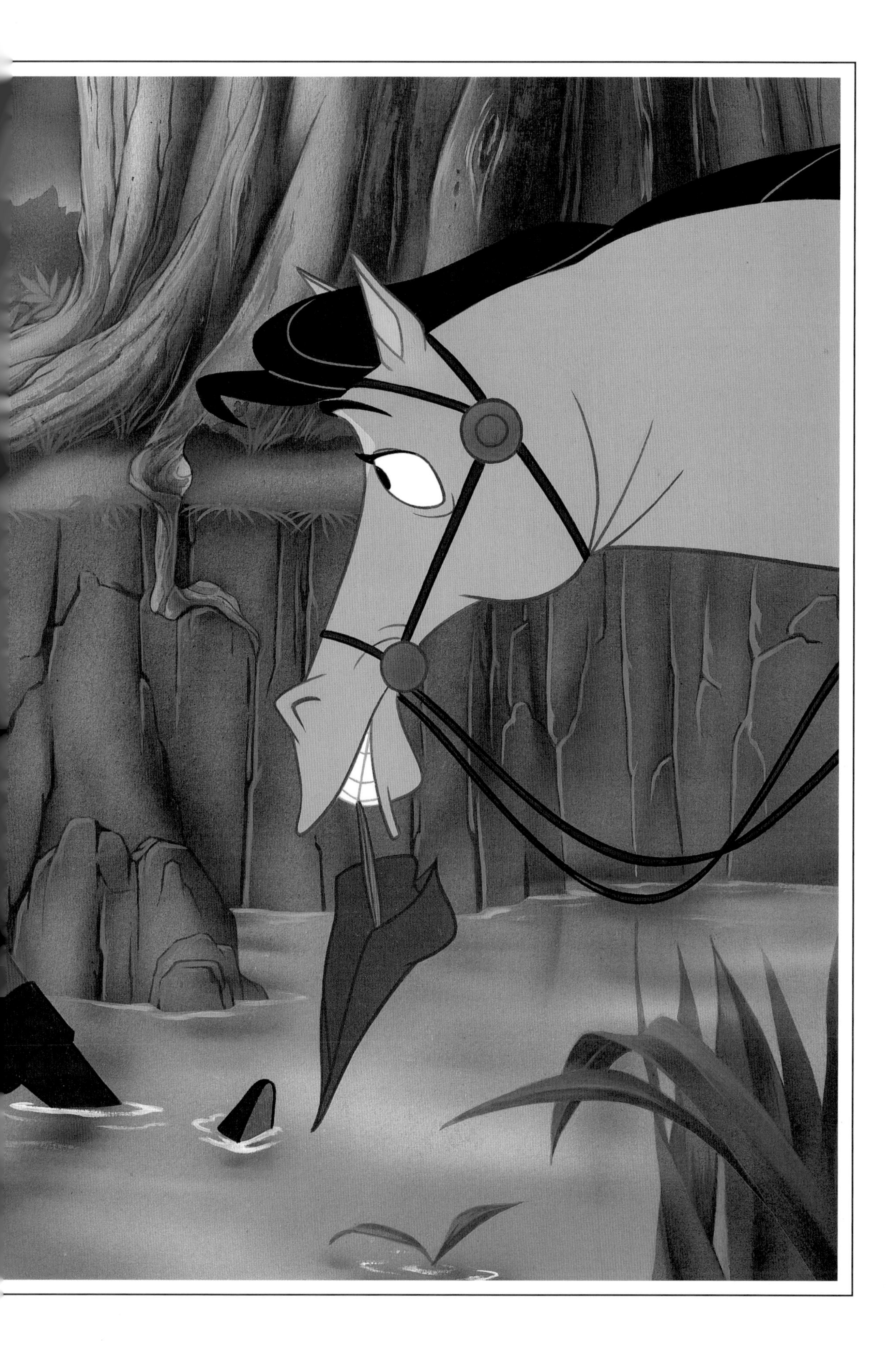

En un momento de distracción del joven, los animales le robaron la ropa, se disfrazaron de Príncipe azul y empezaron a bailar con Aurora.

Entonces, el Príncipe descubrió a la muchacha y se puso a cantar a dúo con ella una hermosa canción. También bailaron juntos por el bosque, y al final se enamoraron.

Pero cuando el Príncipe preguntó a Aurora cuál era su nombre, la muchacha recordó que no debía hablar con extraños. Aun así, se citaron para esa noche en la cabaña del leñador.

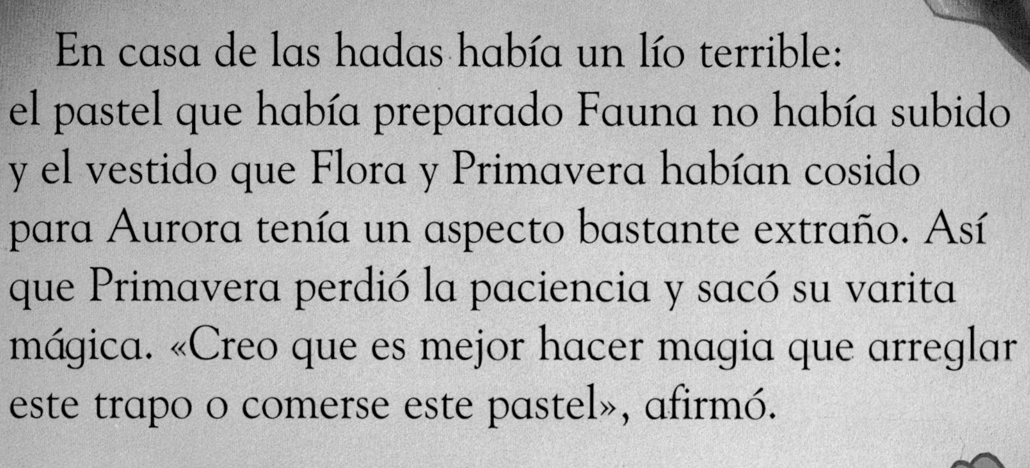

En casa de las hadas había un lío terrible: el pastel que había preparado Fauna no había subido y el vestido que Flora y Primavera habían cosido para Aurora tenía un aspecto bastante extraño. Así que Primavera perdió la paciencia y sacó su varita mágica. «Creo que es mejor hacer magia que arreglar este trapo o comerse este pastel», afirmó.

Estaban tan seguras de que nadie las iba a descubrir que decidieron arreglarlo todo en un momento con ayuda de sus varitas mágicas.

Flora creó un vestido rosa, pero Primavera prefería que fuera azul. Se pusieron a discutir por el color y no se dieron cuenta de que el polvo mágico estaba saliendo por la chimenea.

Cuando el cuervo de Maléfica sobrevoló la casa de las hadas buscando a Aurora, vio las chispas que salían de la chimenea. Sin perder un instante, se apresuró a regresar junto a Maléfica para decirle que había encontrado a la Princesa.

Cuando Aurora regresó a casa, les habló a las hadas del apuesto joven que había conocido en el bosque. «Va siendo hora de decirle la verdad», decidieron las hadas en vista de lo sucedido.

Así, Aurora descubrió que era una Princesa y que desde su nacimiento estaba prometida a un Príncipe con el que debía casarse cuando cumpliera dieciséis años.

«Esta noche te vamos a llevar de vuelta al castillo de tu padre, el Rey Estéfano», le dijo Flora.

Eso le rompió el corazón a Aurora, porque se había enamorado del joven del bosque.

Partieron por la noche, sin sospechar que Maléfica también las esperaba.

El encantamiento

Ya en el palacio, las hadas dejaron a Aurora sola en un salón y fueron en busca de sus padres. De pronto, la joven vio un extraño resplandor. Como hechizada, la Princesa siguió la luz por una escalera de caracol.

La escalera conducía a un ático, donde Maléfica esperaba a Aurora con una rueca.

«Toca el huso, tócalo», le susurró el hada mala. Sin poder resistirse al hechizo de la malvada, la muchacha extendió la mano, se pinchó con el huso y cayó al suelo como muerta.

Las hadas bondadosas regresaron al salón en el que habían dejado a Aurora. Al darse cuenta de su desaparición, subieron por la escalera de caracol hasta el ático, y allí vieron a Maléfica inclinada sobre Aurora.

Primavera, Flora y Fauna deseaban evitar que los padres de Aurora la vieran en aquel estado. Por eso hicieron que todos aquellos que vivían en el palacio cayeran en un profundo sueño, que debía durar hasta que se rompiera el maleficio.

Aquella tarde, el padre de Felipe estaba de visita en el palacio. Mientras caía en el profundo sueño, murmuró que el Príncipe deseaba casarse con una campesina. «¡Aurora!», exclamó Flora. En ese mismo momento, el Príncipe Felipe acudía a su cita con la Princesa en la cabaña. Las hadas se apresuraron a ir al bosque. ¡Tenían que llevar al Príncipe a palacio!

El Príncipe valiente

Pero también Maléfica sabía que el Príncipe era el único que podía romper el hechizo, de modo que aguardó al joven en la cabaña y ordenó a sus sirvientes que lo apresaran.

Maléfica llevó a Felipe a la Montaña Prohibida y lo arrojó a un calabozo, donde lo ató a la pared con pesadas cadenas. Entonces le reveló que la muchacha de la que estaba enamorado era en realidad la Princesa Aurora, y que solo un beso suyo podía salvarla. Felipe comprendió que tenía que huir como fuera para salvar a su amada Princesa.

En ese momento aparecieron en la mazmorra las hadas buenas, liberaron al Príncipe y le regalaron el Escudo mágico de la Virtud y la Espada de la Verdad.

Pero el cuervo, que vio cómo Felipe y las tres hadas abandonaban la Montaña Prohibida, salió volando para encontrarse con su malvada ama y contarle que el Príncipe había huido.

Maléfica estaba fuera de sí de la rabia. Sin tardanza, conjuró un maleficio para rodear el palacio de un espeso bosque de espinas. Pero con su Espada mágica, el Príncipe logró abrirse camino entre la maleza.

Cuando el Príncipe llegó al puente levadizo, se le apareció un enorme y temible dragón. Era Maléfica. Pero Felipe se protegió con el Escudo de la Virtud y así quedó a salvo de las abrasadoras llamaradas de la bestia.

Al ver que Felipe estaba en peligro, las hadas buenas impregnaron su Espada de polvo mágico. El Príncipe la lanzó con todas sus fuerzas contra el dragón… ¡que retrocedió y cayó al vacío!

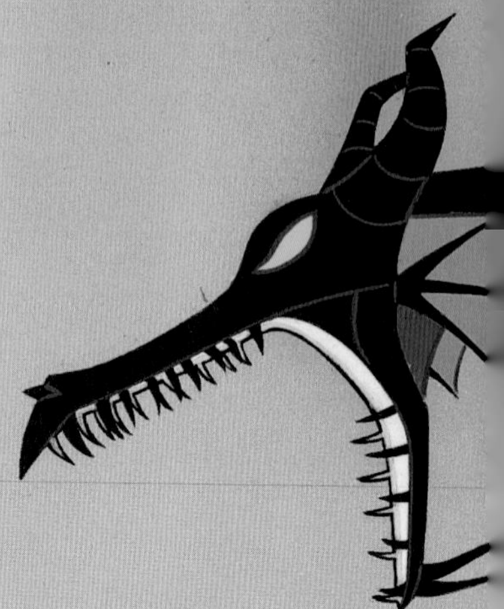

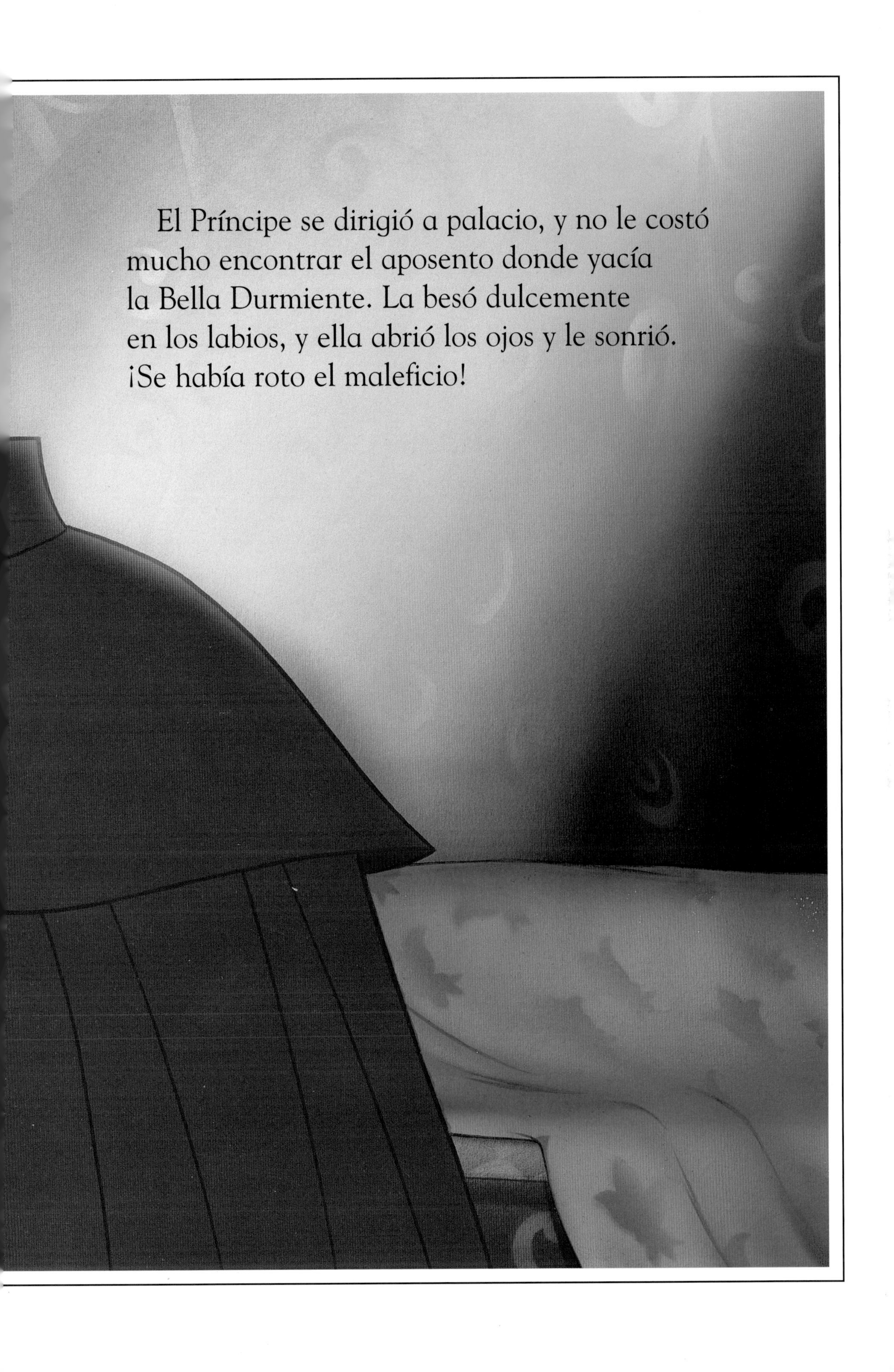

El Príncipe se dirigió a palacio, y no le costó mucho encontrar el aposento donde yacía la Bella Durmiente. La besó dulcemente en los labios, y ella abrió los ojos y le sonrió. ¡Se había roto el maleficio!

Al mismo tiempo se rompió también el conjuro de las tres hadas, y todos los moradores del palacio se fueron despertando. Locos de alegría, se abrazaban unos a otros.

No tardó en celebrarse la boda entre la Princesa Aurora y el Príncipe Felipe… que fueron felices y comieron perdices.